¡ME ENCANTAN LOS DÍAS DE LLUVIA!

Originally published in English as *Noodles: I Love Rainy Days!*

Translated by J.P. Lombana

ISBN 978-1-338-14535-9

10 9 8 7 6 5 4 3 18 19 20 21

Printed in the U.S.A. 40
First Spanish printing 2017

¡ME ENCANTAN LOS DÍAS DE LLUVIA!

Hans Wilhelm

SCHOLASTIC INC.

Odio la lluvia.
Quiero jugar afuera.

¡Estoy aburrido!

¡Un momento!
Tengo una idea.

¡Puedo jugar al corre que te pillo!

Puedo deslizarme.

Puedo comer galletas.

Puedo jugar a los bolos.

Puedo esconder mi hueso.

Puedo pintar en la alfombra.

Puedo ayudar a sacar la basura.

Puedo hacer ejercicio con Oso.

Puedo desenrollar el papel.

Estoy cansado.
¡Qué día tan atareado!

Necesito tomar una siesta.

¡Me encantan los días de lluvia!